Friedrich Dürrenmatt
Albert Einstein
Ein Vortrag

Diogenes

Vom Autor für diesen Band
redigierte und ergänzte Fassung
des Vortrags zur Feier anläßlich
des 100. Geburtstags Albert Einsteins,
gehalten in der Eidgenössischen Technischen
Hochschule, Zürich, am 24. Februar 1979.

Erstausgabe

»Habe ich wirklich geirrt, so
trage ich meinen Irrtum selbst.«

Hiob, 19,4.

Inhalt

Albert Einstein
Ein Vortrag

Meine Damen und Herren,
der Grund, weshalb ich die Einladung der
Eidgenössischen Technischen Hochschule angenommen habe, einen Vortrag über Einstein zu halten, liegt darin, daß heute die
Mathematik, die Naturwissenschaften und
die Philosophie derart ineinander verflochten
sind, daß sich auch Laien mit diesem gor-
dischen Knoten befassen müssen. Denn über-
lassen wir die Physiker, die Mathematiker
und die Philosophen sich selber, treiben wir
sie endgültig in die Ghettos ihrer Fachgebiete
zurück, wo sie hilflos und unbemerkt den
Raubzügen der Techniker und der Ideologen
ausgeliefert sind; Raubzüge, die immer statt-
fanden und immer wieder stattfinden. Ich
werde darum, auch auf die Gefahr hin, daß
meine Rede nicht nur für Nichtphysiker,
sondern auch für Physiker schwer verständlich wird, unerbittlich als Laie reden. Ich
werde nicht zuerst ausführen, was ich zu

sagen gedenke, um dann noch zu reden, was ich schon ausgeführt habe; auch werde ich gewisse Begriffe wie etwa ›Determinismus‹ oder ›Kausalität‹ so gebrauchen, wie ich sie benötige, um einen Gegensatz herauszuarbeiten, ohne mich allzusehr darum zu kümmern, wie die Fachwelt sie gerade gebraucht; und wenn ich öfters von Gott reden werde, so nicht aus theologischen, sondern aus physikalischen Gründen; Einstein pflegte so oft von Gott zu reden, daß ich beinahe vermute, er sei ein verkappter Theologe gewesen. Den Grund hingegen, weshalb die Eidgenössische Technische Hochschule mich einlud, einen Vortrag über Einstein zu halten, vermag ich nur zu vermuten: ist doch die Frage nach dem ›warum man von *mir* diesen Vortrag wünscht‹ offenbar verknüpft mit der Frage, *wie* ich ihn zu halten habe. Denn angenommen, ich wäre eingeladen, öffentlich mit einem Großmeister, sagen wir mit Fischer oder mit Spasski, Schach zu spielen, wäre es für mich offensichtlich sinnlos, Fachbücher zu studieren, Eröffnungen zu büffeln, die Aljechin-Verteidigung, das Falkbeer-Gambit, den Sizilianischen Angriff usw., aus dem einfachen Grunde, weil die Veranstalter nicht

mich, sondern den Großmeister beim Schach-
spielen beobachten möchten. Ich wäre nur
der Köder. Gerade an meiner Unzulänglich-
keit würde sich sein Spiel am deutlichsten
offenbaren, die Einfachheit und die Eleganz,
mit der er mich schachmatt setzte usw. Das
Wie läge beim Großmeister, ich hätte nur
das eine zu tun: mich an die Regeln des
Schachspiels zu halten. Daß der Großmeister
sich daran hält, ist ja gewiß, sonst wäre er
kein Großmeister. Ich müßte daher keine
Schachtheorien studieren; was ich einzuhal-
ten hätte, wäre nichts als ein gewisses Nor-
malmaß an Vernunft, um nicht kurz nach
der Eröffnung des Spiels ein Torenmatt zu
begehen – was nicht etwa eine Anspielung
auf meinen Namen darstellt, sondern eine
bestimmte törichte Spielweise, die einen nach
wenigen Zügen schachmatt setzt. Allein mit
Vernunft läßt sich dem Großmeister die
Methode entlocken, nach der er vorzugehen
pflegt, läßt sich sein Spiel analysieren.
Genauso habe ich nun gegen Einstein anzu-
treten, im Vertrauen darauf, daß er und ich
den gleichen Spielregeln unterworfen sind,
jenen der Vernunft. Die Partie ist zwar
ungleich, aber sinnvoll. Einstein ist nicht

etwas Kompliziertes, sondern etwas Komplexes, etwas unerhört Einheitliches; es gibt keine Äußerung Einsteins, die nicht auf die Einheitlichkeit seines Denkens zielt; so kann ich – scheinbar willkürlich – sein denkerisches Schicksal dadurch zeichnen, daß er als Kind irreligiöser jüdischer Eltern bis zum zwölften Lebensjahr religiös war, dann, auch durch die Lektüre Kants, seinen Glauben verlor, um sich später als Physiker zum Gott Spinozas zu bekennen; ferner, daß er die Mathematik zuerst bis zu einem gewissen Grad vernachlässigte, um später immer mehr Mathematik zu fordern. Diese Fakten stellen in der Partie, die ich gegen Einstein spiele, die ersten Züge dar, die mir an seiner Spielweise auffallen. Einem mathematisch geschulten Spieler würden vielleicht andere Eigentümlichkeiten wichtiger sein, etwa die Begeisterung des Elfjährigen für Euklid, einem Physiker der Eindruck, den eine Kompaßnadel auf den Knaben machte, einem Philosophen der Satz aus Einsteins Schrift *Autobiographisches,* das Wesentliche im Dasein eines Menschen seiner Art liege in dem, was er denke und wie er denke, nicht in dem, was er tue oder erleide; Eigentümlichkeiten, die für Einstein bezeichnender zu sein scheinen als etwa sein Bekenntnis zum Gott Spinozas. Stellen wir uns jedoch das Weltgeschehen als ein Schachspiel vor, so sind zuerst zwei Partien denkbar, eine deterministische und eine kausale. Beim deterministischen Schachspiel sitzen sich zwei vollkommene Schachspieler gegenüber, zwei starre und sture Göttergötzen der Urwelt etwa, Ormuzd und Ahriman meinetwegen, oder das gute und das schlechte Prinzip oder der alte und der neue Zeitgeist oder die alte und die neue Klasse oder zwei vollkommene Computer usw., die miteinander kämpfen. Die Menschen sind die Schachfiguren. Diese sind in dieser Partie determiniert, Folgerungen der außermenschlichen Schachüberlegungen; ob die Menschen Gutes oder Schlechtes vollbringen, ist gleichgültig, sie sind, ob weiße oder schwarze Figuren, von den gleichen Gesetzen bestimmt: von den Regeln des Schachspiels.[1] Die manichäischen Religionen sind symmetrische Konzeptionen, das Gute und das Böse sind im Gleichgewicht; zwei vollkommene Schachspieler vermögen sich nicht zu besiegen, sie verharren in ewigem Patt, in ewiger Koexistenz,

Siege sind nur Scheinsiege. Die Welt ist durch Prädestination determiniert, statt des Chaos' herrscht eine unbarmherzige Ordnung. Bei der kausalen Partie dagegen spielen die Schachfiguren selber, sie sind die Ursachen ihrer Wirkungen, ihre guten Züge sind die ihren, ihre Fehler sind die ihren. Die zwei vollkommenen Schachspieler fallen in einen Schachspieler zusammen, der die Partie nicht mehr spielt, sondern begutachtet, genauer, er spielt sie auf eine delikatere Weise als die beiden Spieler des deterministischen Schachs: er führt die Partie als Schiedsrichter. Als solcher ist er nicht unbedingt gerecht, die Welt ist eine abgefallene Welt, das Chaos ist größer als die Ordnung. Daß das Spiel nicht abgebrochen und weggeräumt wird, hängt allein von der Gnade und der Barmherzigkeit des Schiedsrichters ab. Gnädig und barmherzig kann jedoch kein Prinzip sein, sondern nur eine Person. Das Judentum und die daraus hervorgegangenen Religionen sind daher an einen persönlichen Gott gebunden.[2] Mit dem Aufkommen der Naturwissenschaft wird das Turnier komplizierter: Der persönliche Gott läßt gleichzeitig auf zwei Brettern spielen, auf dem Brett des

Geistes und auf dem Brett der Natur, auf dem Brett der Freiheit und auf dem Brett der Naturnotwendigkeit. Auf dem Brett des Geistes steht es wie bisher einer jeden Figur frei, welche Züge gemäß den Regeln des Schachspiels sie machen will; ein schlechter Spieler ist auch ein schlechter Mensch, und Gott bleibt sein Schiedsrichter, eine jede Figur muß die Wirkung ihrer Handlung tragen, das Spiel ist in sich kausal, während auf dem Spielbrett der Natur die Figuren zwangsläufig spielen, da die Regeln, durch die sie bestimmt werden, mit den Naturgesetzen gegeben sind. Auf diesem Schachbrett ist das Spiel an sich kausal, Gott könnte das Spiel laufen lassen – er setzte es eigentlich nur in Gang –, doch offenbar nicht für immer: vermochte sich doch ein theologischer Denker das gewaltige Schachspiel nicht ohne einen Gott vorzustellen, der hin und wieder eingreift, indem er etwa die Unregelmäßigkeiten im Sonnensystem periodisch persönlich korrigiert oder hin und wieder die Energie erneuert, um das Umherschieben der Figuren nicht zum Stillstand kommen zu lassen. Dieser theologische Denker, der auch noch Alchimie und Astrologie betrieb, ist weitaus berühmter als Physiker und Mathematiker, er heißt Isaac Newton. Gottfried Wilhelm Leibniz, auch er ein großer Mathematiker, traute Gott gar die prästabilierte Harmonie zu, mit Hilfe derer der Allmächtige die beiden Schachspiele, jenes des Geistes und jenes der Natur – weil der Mensch ja Geist und Natur ist – vor der Schöpfung koordinierte und synchronisierte; ein verzweifelter Versuch, das Dilemma zu vermeiden, in welches der persönliche Gott zunehmend mit dem Begriff geriet, den man sich von ihm machte: als allwissend, allbarmherzig, allmächtig wurde er immer abstrakter, doch je allmächtiger, allbarmherziger, allwissender, prinzipieller er wurde, desto unbegreiflicher mußte es sein, daß er das Böse überhaupt zuließ. Das Problem, weshalb die Welt nicht vollkommen ist, verschärfte sich, einerseits herrschten in der Natur die Gesetze, anderseits brach vom freien Geiste her immer wieder das Chaos in die Welt.[3] Vor diesem Hintergrund ist Spinoza zu begreifen: er lehnte den Gott seines Volkes ab. Er gab den jüdischen Glauben auf und nahm keinen anderen an. Er schuf sich eine Idee Gottes, die eine neue Weltkonzeption darstellt. War Gott gleichzeitig geoffenbart und beweisbar, ist er bei Spinoza eine aus Axiomen gefolgerte Gedankenkonstruktion, der mit dem Begriff der Notwendigkeit eine ontologische Evidenz zugesprochen wird.[4] Spinoza schließt vom Begriff auf das Sein. Der logisch begründete Gott existiert und ist unmittelbar gewiß. Die Attribute, die Spinoza ihm zuschreibt, das Denken und die Ausdehnung, sind die Aspekte Gottes, die für den Verstand begreifbar sind, aber sie treffen nur für Gott zu: seine Ausdehnung ist unendlich, sonst wäre sie teilbar, er ist nicht ableitbar, sonst wäre er mittelbar. Teilbarkeit und Ableitbarkeit kommen nur den Modi seiner göttlichen Attribute zu. Im allgemeinen glaubt man, die geometrische Methode, die Spinoza in seiner Philosophie anwandte, habe nur einen formalen Sinn; er stellte Axiome auf, und aus den Axiomen formte er Lehrsätze. Aber man übersieht, daß ihm durch seine geometrische Methode weit mehr gelang: der Gegensatz Gut – Böse wurde überwunden. Der Gott Spinozas braucht keine Theodizee. Für diesen Gott gibt es weder das Gute noch das Böse. Gäbe es für ihn diesen Gegensatz, wäre er wieder persönlich. Beim Menschen gilt das gleiche, gut und böse sind Attribute – und als solche vom Wesen sowenig zu trennen wie die Dreieckseigenschaften vom Dreieck. Spinozas Welt ist mit Begriffen konstruiert, sie ist syntaktisch die begreifbarste aller erdachten Welten und nur in ihrem Sein unbegreiflich, denn das Axiom Gott ist nur insofern der Grund dieser begreifbaren Welt, als diese Welt zu seinem Sein gehört, wie zum Wesen des Dreiecks seine Eigenschaften gehören. Diesem Gott schreibt Spinoza eine deterministische, nicht eine kausale Welt zu: Nur in einer kausalen Welt ist es sinnvoll, von einer Wirkung auf die Ursache zu schließen; in einer deterministischen, in einer rein geometrischen Welt etwa, wäre die Behauptung, das rechtwinklige Dreieck sei die Ursache des pythagoreischen Lehrsatzes, Unsinn. Darum lehnt es Spinoza ab, von einer Schöpfung und einem Schöpfer zu reden. Auch gibt es keine Willensfreiheit; als Modus der zwei göttlichen Attribute, als eine vergängliche Spielart derselben, ist der Mensch determiniert. Ein Mensch, der sich einbildet, er sei frei, gleicht einem Stein, der zur Erde fällt und glaubt, er *wolle* zur Erde fallen. Aber

Spinoza war kein Fatalist. Wenn er auch dem Menschen keinen freien Willen zubilligte, so doch das Erkenntnisvermögen: Für den denkenden Menschen ist Gott das Gewisseste, das einzige, woran nicht zu zweifeln ist; gut ist der Wissende, schlecht der Unwissende, böses Handeln ist falsches, gutes Handeln ist richtiges Handeln, das Böse ist ebenso unrichtig wie eine falsche geometrische Lösung. Ein solches Denken hat seine Konsequenz: Wir haben uns nun einen Gott vorzustellen, der nicht nur gegen sich selber Schach spielt, sondern auch selber das Schachspiel ist, Spielregeln und Spielfeld in einem. Studiert man die Spielzüge, studiert man auch diesen Gott; etwas anderes als der Determinismus des Spiels ist nicht auszumachen, über den Spieler gibt es keine Aussage. Um so nachdenklicher muß es uns daher stimmen, wenn Einstein 1929 auf die Frage einer Depeschenagentur, ob er an Gott glaube, antwortete, er glaube an Spinozas Gott, der sich in der gesetzlichen Harmonie des Seienden offenbare, nicht an einen Gott, der sich mit den Schicksalen und Handlungen der Menschen abgebe. 1932 aufgefordert, über Spinoza zu schreiben, lehnte es Einstein mit der Begründung ab, daß niemand dieser Aufgabe gerecht werden könne, da sie nicht nur Sachkenntnis, sondern auch ungewöhnliche Lauterkeit, Seelengröße und Bescheidenheit erfordere. Spinoza sei der erste gewesen, fügte er bei, der den Gedanken der deterministischen Gebundenheit allen Geschehens konsequent auf das menschliche Denken, Fühlen und Handeln angewendet habe. Und in einem Brief aus dem Jahre 1946 schrieb er: »Spinoza ist einer der tiefsten und reinsten Menschen, welche unser jüdisches Volk hervorgebracht hat.« 1947 führte er aus, die Idee eines persönlichen Gottes sei ein anthropologisches Konzept, das er nicht ernst nehmen könne. Er sei auch nicht fähig, sich einen Willen oder ein Ziel außerhalb der menschlichen Sphäre vorzustellen. Seine Überzeugungen seien denjenigen Spinozas verwandt: Bewunderung für die Schönheit und Glaube an die logische Einfachheit der Ordnung und der Harmonie, welche wir demütig und nur unvollkommen erfassen könnten. Ich sehe nicht ein, warum wir diese Äußerungen Einsteins weniger wichtig als seine physikalischen Erkenntnisse nehmen sollten, weist doch auch seine zweite Eigentümlichkeit, die mir gleich zu Beginn meiner imaginären Schachpartie mit ihm auffiel, indirekt darauf hin, wie wesentlich sein Denken mit jenem Spinozas in Zusammenhang gebracht werden muß: Einsteins schwankendes Verhältnis zur Mathematik. Wenn Spinoza glaubte, Denken und Ausdehnung seien zwei Attribute Gottes, die dem menschlichen Verstande zwar zugänglich, die aber Gott nicht zu umfassen vermöchten, weil Gott noch unendlich viele Attribute besäße, die für den Menschen unerkennbar blieben, so ist dieser Gott Spinozas – den er ja auch die ›Substanz‹ nennt, wobei er freilich an nichts Materielles denkt – durchaus mit dem ›Ding an sich‹ Kants verwandt, worunter ja Kant das Objekt an sich versteht. Nun war es aber gerade Kants Ansicht, daß nicht die Dinge an sich, sondern nur deren Erscheinung erkennbar wäre. Auch neigen wir dazu, Denken und Ausdehnung, die für Spinoza die beiden uns bekannten Attribute Gottes sind, anders zu interpretieren: Wer Ausdehnung setzt, setzt Materie und Raum voraus, wer Denken setzt, setzt Zeit voraus, denn außerhalb der Zeit fände auch kein Denken statt.[5] Zeit und Raum jedoch sind vor allem für zwei Denker wichtig, für Kant und für Einstein. Damit muß ich mich in meinem Vortrag, den ich so einfach wie möglich halten wollte, gleich mit zwei der wohl schwierigsten Denker befassen; wobei ich nicht weiß, welchen von beiden ich besser mißverstehe. Auf unser Schachspielgleichnis bezogen: Ich muß mich nun plötzlich nicht mit Fischer oder Spasski, sondern mit Fischer und Spasski messen. Wenn bei Kant Sinnlichkeit und Verstand die beiden Stämme unserer Erkenntnis darstellen, die vielleicht der gleichen Wurzel entspringen, so stellen Raum und Zeit die notwendigen Formen unserer sinnlichen Anschauung dar, das apriorische Material, das dem Verstand ermöglicht, mit Hilfe seiner apriorischen Denkformen die Mathematik zu konstruieren und physikalische Zusammenhänge zu erkennen. Kant ersetzt die Metaphysik durch die Mathematik und durch die Physik. Für Kant ist der Schluß der Metaphysiker, vom Denken auf ein Sein, das hinter der Erfahrung liegt, unmöglich: Gott ist unbeweisbar. Demgegenüber ist die Mathematik möglich, indem sie nur sich ausdrückt, sie ist eine apriorische Begriffskonstruktion, die nur eine innere Widerspruchsfreiheit erfordert;[6] und die Möglichkeit der Physik liegt darin begründet, daß der Verstand der Natur die Gesetze vorschreibt. Die Natur erscheint in unserem Denken. Insofern aber die Verstandesgesetze apriorisch mathematisch sind, erscheinen die empirischen Naturgesetze auch zwangsläufig in der apriorischen Mathematik. Kants Physik ist eine Physik der Erscheinung, wobei auch Raum und Zeit Erscheinungen sind, Grundstrukturen der Anschauung, gleichsam Erscheinungen hinter den Erscheinungen. So ist denn auch das Spiel – auf unsere Schachparabel bezogen – nicht das Spiel, sondern die Erscheinung des Spiels. Kant interessiert sich nicht dafür, ob es einen vollkommenen Schachspieler gibt, der die Partie spielt, oder einen vollkommenen Schiedsrichter, der die Partie leitet, ob die wirkliche Partie deterministisch oder kausal gespielt wird, darüber ist denkerisch nichts auszumachen, auch nicht, ob wirklich die Regeln streng eingehalten werden, oder ob es uns nur scheint, daß sie streng eingehalten werden (sie erscheinen deterministisch kausal, könnte paradox formuliert werden), oder ob das Spielfeld unendlich ist oder nicht, ob das Spiel einen Anfang genommen hat oder ob es seit jeher gespielt wurde, ob es auf ein Schachmatt hinausgeht oder auf ein Patt. Der Verstand, im Bestreben, diese Frage zu lösen, stößt auf Antinomien. Im übrigen sind die Schachregeln nicht durch das Spiel gegeben, sondern durch unseren Verstand gesetzt, es ist auch kein anderes Spielfeld denkbar, oder – wie wir vielleicht genauer sagen müssen – es bestanden zu Zeiten Kants keine Anhaltspunkte, ein anderes Spielfeld zu denken – wenn auch die Gleichsetzung des absoluten Raumes Newtons, der ›an sich‹ ist, mit dem apriorischen Raum Kants etwas Problematisches hat. Überhaupt sollte man Kant nicht so sehr nach seinen Erkenntnissen, sondern nach seinen Ahnungen beurteilen; jedes Bewiesene widerlegt einmal die Zeit, nur die Ahnungen bleiben. Der Unterschied zwischen Kant und Einstein besteht nicht darin, daß der eine einen euklidischen und der andere einen nicht-euklidischen Raum annahm, sondern vor allem in der Beziehung, die sie zwischen der Mathematik und der Wirklichkeit herstellten. In seiner Schrift *Autobiographisches* schreibt Einstein sein erkenntnistheoretisches Credo nieder: »Ich sehe«, beginnt er, »auf der einen Seite die Gesamtheit der Begriffe und Sätze, die in den Büchern niedergelegt sind. Die Beziehungen zwischen den Begriffen und Sätzen untereinander sind logischer Art, und das Geschäft des logischen Denkens ist strikte beschränkt auf die Herstellung der Verbindung zwischen Begriffen und Sätzen untereinander nach festgesetzten Regeln, mit denen sich die Logik beschäftigt.« Die Begriffe und Sätze, fährt er dann dem Sinne nach fort, erhielten ihren Inhalt nur durch ihre Beziehung zu den Sinnen-Erlebnissen. Die Verbindung dieser Sinnen-Erlebnisse zu den durch die Regeln der Logik verbundenen Begriffen und Sätzen sei rein intuitiv, nicht selbst von logischer Natur. Der Grad der Sicherheit, mit der diese intuitive Verknüpfung vorgenommen werden könne, und nichts anderes unterscheide die leere Phantasterei von der wissenschaftlichen ›Wahrheit‹. Er fährt dann wörtlich fort: »Das Begriffssystem ist eine Schöpfung des Menschen samt den syntaktischen Regeln, welche die Struktur der Begriffssysteme ausmachen. Die Begriffssysteme sind zwar an sich logisch gänzlich willkürlich, aber gebunden durch das Ziel, eine möglichst sichere intuitive und vollständige Zuordnung zu der Gesamtheit der Sinnen-Erlebnisse zuzulassen; zweitens erstreben sie möglichste Sparsamkeit in bezug auf ihre logisch unabhängigen Elemente, auf die Grundbegriffe und Axiome, das heißt auf die nicht definierten Begriffe und nicht erschlossenen Sätze. Ein Satz ist richtig, wenn er innerhalb eines logischen Systems nach den acceptierten logischen Regeln abgeleitet ist. Ein System hat Wahrheitsgehalt entsprechend der Sicherheit und Vollständigkeit seiner Zuordnungs-Möglichkeit zu der Erlebnis-Gesamtheit. Ein richtiger Satz erborgt seine ›Wahrheit‹ von dem Wahrheits-Gehalt des Systems, dem er angehört.«[7]

Meine Damen und Herren, ein Gleichnis ist keine Analogie, wohl aber ein Abkürzungsverfahren, um möglichst verständlich über sehr schwierige Angelegenheiten zu sprechen; und zu den kompliziertesten Dingen, in die der Mensch sich verstricken läßt, gehört die Mathematik. Daß mein Vortrag für Sie und für mich nicht eben leicht ausfallen würde, wußte ich, deshalb reizte es mich auch, ihn zu halten; daß ich darin mit dem Schachspielgleichnis operiere, war ein

Einfall, ein dramaturgischer Kniff, auf den mich die Vertracktheit des Themas brachte; daß sich Einfälle, wenn überhaupt, erst nachträglich rechtfertigen lassen, liegt in ihrer Natur; ich atme auf, habe ich doch noch einmal Glück gehabt. Wenn nämlich Einstein von einem Begriffssystem als einer menschlichen Schöpfung redet, die zwar in sich logisch, aber an sich logisch gänzlich willkürlich sei, so bin ich nicht in der Lage, eine Aussage darüber zu machen, ob ein Begriffssystem wie die Mathematik, die in sich logisch ist, an sich logisch gänzlich willkürlich sei. Als sicher kann ich es jedoch vom Schachspiel behaupten. Dessen Regeln sind logisch gänzlich willkürlich, und nicht nur die Regeln, auch die Spielfläche, während das Spiel in sich logisch ist: Es stellt eine geistige Auseinandersetzung, die in sich logisch ist, mit willkürlich gewählten Regeln dar, an die sich die beiden Gegner halten. Schach ist ein idealisierter Krieg, es benötigt Taktik, Strategie, kühle Berechnung und Intuition. Damit sind wir auf das wichtigste Dogma der Einsteinschen Erkenntnistheorie gestoßen, auf den Glauben, daß sich die Sinnen-Erlebnisse nur intuitiv, nicht logisch auf ein in sich logisches, aber an sich logisch willkürliches Begriffssystem beziehen lassen. Was ist nun im Schachspiel ein Sinnen-Erlebnis? Ein unerwarteter gegnerischer Zug, der zu einer im Spielverlauf nicht vorhergesehenen Konstellation führt. Nun ist die Intuition ein Begriff aus einem Bereich, den wir im allgemeinen vom Logischen trennen, aus jenem des Künstlerischen und des Religiösen. Die Intuition ist das unmittelbare Erfassen ohne Reflexion; im Religiösen bedeutet es die Eingebung, im Künstlerischen den Einfall, im Schach einen genialen Zug. Nun ist es natürlich möglich, daß auch einem gewöhnlichen Spieler ein genialer Schachzug gelingt, aber wir sprechen dann nicht von Intuition, sondern von Zufall. Gelingt ihm zum zweiten Mal ein genialer Zug, reden wir von Glück. Erst wenn ihm oft geniale Züge gelingen, wird der gewöhnliche Schachspieler in unseren Augen ein genialer Schachspieler, dem wir intuitive Spielzüge zutrauen, denn diese geschehen deduktiv aus einer Vision des gesamten Spielablaufs heraus, aber sie geschehen nicht außerhalb der Logik. Besser wäre es, sie als ein logisches Wagnis zu bezeichnen; die Zeit, sie logisch vollkommen abzusichern, fehlt.

Darum kann ein intuitiver Zug eines genialen Schachspielers sich im weiteren Verlauf des Spiels doch noch als falsch erweisen. Daß es aber eine Intuition gänzlich außerhalb des Logischen gibt, bezweifle ich. Dies vorausgesetzt können wir uns ein Schachspiel denken, bei dem Einstein gegen den Gott Spinozas spielt. Ein Gedankenexperiment, das ich mir in einem Raum gestatte, in welchem Gedankenexperimente legitim sind oder es sein sollten, doch nicht, um Einsteins physikalische Gesetze darzustellen, sondern um mit Hilfe einer Parabel das Schicksal seines Denkens nachzuzeichnen. Das Gedankenexperiment ist nicht ganz einfach. Wenn Spinozas Gott nicht nur ein vollkommener Schachspieler ist, der gegen sich selber spielt, sondern auch selber Figuren, Regeln und Brett in einem darstellt, so wird Einstein, wenn er mit diesem Gott spielt, selber in das Spiel integriert, er wird ein Teil des Spiels; der Gott Spinozas spielt mit Einstein gegen sich selber. Einsteins erkenntnistheoretisches Credo wird ein metaphysisches, Gottes erstes dem Menschen zugängliches Attribut, das Denken, entspricht dem menschlichen Denken. Die Schachregeln und damit das Schach sind zwar von Gott willkürlich gewählt, aber in sich logisch, das heißt, aufs Schach bezogen, deterministisch. Hätte Gott ein Würfelspiel gewählt, wären die Regeln statistisch. Auch der Mensch hat zu wählen; ob er richtig wählt, entscheidet das von Gott gewählte Spiel. Weil sich jedoch fast alle Spielzüge Gottes mit dem deterministischen menschlichen Schachspiel wiedergeben lassen, hält Einstein das Schach für das von Gott gewählte Spiel, es besitzt ›Wahrheitsgehalt‹, und er nimmt die Partie in der Überzeugung auf, daß auch jene Spielzüge Gottes, die Sinnen-Eindrücke, die den Spielregeln zu widersprechen scheinen, sich auf dem Schachbrett nachspielen lassen; und er beginnt die Partie im Vertrauen, einer fairen Auseinandersetzung entgegenzugehen; und wenn sich der gegnerische Läufer auf dem weißen Feld auf den schwarzen Feldern bewegt und dann wieder auf den weißen Feldern, oder wenn ein Springer in einem Spielzug von einem weißen Feld auf ein anderes weißes Feld hinübersetzt, so weisen diese Phänomene nicht auf einen göttlichen Fehler hin, sondern auf eine fehlerhafte Interpretation des göttlichen Spiels. Da sich Gott an die Schach-

regeln hält, müssen die beobachteten schein-
baren Regelwidrigkeiten Gottes bei seinem
zweiten Attribut liegen, bei der Ausdehnung. Dieses Attribut ist etwas Unbestimm-
tes. Vielleicht ist es möglich, über dieses
Attribut etwas in Erfahrung zu bringen,
indem man das erste Attribut, das Denken,
die Schachregeln, auf das zweite anwendet.
Einstein geht dieser Intuition nach. Er denkt
sich ein Spielfeld aus, auf welchem die
beobachteten Unstimmigkeiten der Spielregeln wieder stimmen: eine Möbius-Fläche,
das heißt eine Fläche, bei der man von der
einen Seite auf die andere ohne Überschrei-
tung des Randes zu gelangen vermag. Auf
dieser Spielfläche lassen sich die Schachzüge
Gottes ohne Änderung der Regeln ausführen: Der weiße Läufer auf dem weißen Feld
bewegt sich bald auf den weißen, bald auf
den schwarzen Feldern. Einstein sieht seinen
Glauben bestätigt: »Der Herrgott ist raffi-
niert, aber nicht bösartig.« »Die Natur ver-
birgt ihr Geheimnis durch die Erhabenheit
ihres Wesens, nicht durch List.« »Das ewig
Unbegreifliche an der Welt ist ihre Begreiflichkeit.« Doch nun wird der Einstein in
unserer Parabel mit einer neuen Konzeption

konfrontiert. Hat Kant in unserem Gleichnis nicht nur die Unbeweisbarkeit eines vollendeten Schachspielers oder eines persönlichen Schiedsrichters bewiesen, sondern es auch abgelehnt, dem Schachspiel außerhalb der menschlichen Vernunft Objektivität zuzuschreiben, so stellt sich auf einmal die Frage, ob die kausale Schachpartie, in der die Spielfiguren selber spielen, überhaupt möglich sei. Gleichgültig, ob man sich die Partie kausal denkt, als eine Folge von Ursachen und Wirkungen, oder deterministisch, als eine Kette von Gedankenfolgerungen, muß jemand das Spiel außerhalb der Partie selber spielen, ob mit oder ohne Gegner, ist bedeutungslos. Aber die Schachfiguren selber sind innerhalb der Partie, für sie stellt sich das Spiel ganz anders dar, sie schlagen Figuren und werden von Figuren geschlagen, sie sind in eine unbarmherzige Schlacht verwickelt, sie können nichts vom Schlachtplan wissen, der sie lenkt, wenn es ihn überhaupt gibt; dieses anzunehmen, verwickelt im Schlachtengetümmel, ist reine Metaphysik, jeder schlägt sich nach seinen Regeln durch, der Bauer nach den Bauernregeln, ein Turm nach den Turmregeln usw., aus der Erfahrung wissen die Schachfiguren mit der Zeit, wie sich die anderen verhalten, aber ihr Wissen ist nutzlos: eine unvorstellbare Anzahl verschiedener Positionen ist möglich, eine Übersicht nur hypothetisch anzunehmen, die Zufälle häufen sich ins Unermeßliche, die Fehler ins Unglaubliche; eine Welt der Unglücksfälle und Katastrophen tritt an Stelle eines kausalen oder deterministischen Systems.[8] Dieser Partie ist nur noch mit Wahrscheinlichkeitsrechnungen beizukommen, mit Statistik.

Meine Damen und Herren, ein Gleichnis sollte nicht zu sehr strapaziert werden. Wenn sich Einstein mit dem Bruch, der durch die Physik geht, nie zufriedengab, wenn ihn die komplementären Beschreibungen störten, die auf seine Interpretation des Quantenbegriffs aus dem Jahre 1905 zurückgehen, wenn er vier Jahre vor seinem Tod an seinen Freund Besso schrieb: »Die ganzen 50 Jahre bewußter Grübelei haben mich der Antwort der Frage: Was sind Lichtquanten? nicht nähergebracht. Heute glaubt zwar jeder Lump, er wisse es, aber er täuscht sich«, wenn Einstein schließlich den Widerspruch nur als vorläufig hinnahm, der darin liegt, daß sich die

Gesetze des Makrokosmos deterministisch, jene des Mikrokosmos statistisch wiedergeben lassen, so ist diese Haltung in Einsteins Denken begründet: ob die Komplementarität, die wir heute in der Physik vorfinden, nicht dem menschlichen Denken selber anhaftet; ob wir nicht zwangsläufig immer wieder auf Antinomien stoßen, ist eine andere Frage. Einsteins Glaube, daß Gott nicht würfle – wie er seinen Einwand gegen die Quantenmechanik formulierte –, und seine Überzeugung, daß die Naturgesetze durch Intuition und nicht notwendigerweise wie bei Kant mathematisch beschreibbar seien, sind eins, der Ausdruck desselben einheitlichen Denkens. Die Intuition, nicht die Logik, ist sein Schicksal, genauer das logische Abenteuer, nicht die logische Absicherung. Einstein akzeptierte nicht, er rebellierte. In Bern, als Angestellter 3. Klasse des Eidgenössischen Patentamtes, in dessen Räumen nächstens die großen Feierlichkeiten zu seinem 100. Geburtstag stattfinden werden – und wo anders könnten sie stattfinden? –, kam er mit sehr wenigen mathematischen Begriffen aus; er war ein rein physikalischer Denker, beeinflußt von David Hume und Ernst Mach.

Doch je mehr Einstein weiterdrang, desto notwendiger wurde für ihn die Mathematik. Sein Schritt von der speziellen zur allgemeinen Relativitätstheorie, die exakte Formulierung des Zusammenhangs zwischen Relativität und Gravitation, erwies sich mathematisch als so schwierig, daß sie nach siebenjähriger Arbeit nur durch die Hilfe von Mathematikern wie Großmann und Minkowski möglich wurde, bis er, dreißig Jahre eine allgemeine Feldtheorie um die andere entwerfend und verwerfend, im Alter verzweifelt ausrief: »Ich brauche mehr Mathematik.« Gelangte er vom Empirischen durch Intuition zum Apriorischen, versuchte er nun, durch Intuition vom Apriorischen zum Empirischen zu gelangen. Ob nämlich die vollständige Geometrisierung der physikalischen Phänomene an sich möglich sei oder, wie Einstein sich ausdrückt, ob sich der Weg einer erschöpfenden Darstellung der physischen Realität auf der Grundlage des Kontinuums überhaupt als gangbar erweisen werde, ist eine mathematische und damit apriorische Frage, die jedoch nur vom Empirischen beantwortet werden kann.[9] »Noch etwas anderes«, schreibt Einstein, »habe ich aus der Gravitationstheorie gelernt: Eine noch so umfangreiche Sammlung empirischer Fakten kann nicht zur Aufstellung so verwickelter Gleichungen führen. Eine Theorie kann an der Erfahrung geprüft werden, aber es gibt keinen Weg von der Erfahrung zur Aufstellung einer Theorie. Gleichungen von solcher Kompliziertheit wie die Gleichungen des Gravitationsfeldes können nur dadurch gefunden werden, daß eine logisch einfache mathematische Bedingung gefunden wird, welche die Gleichungen völlig oder nahezu determiniert. Hat man aber jene hinreichend starken formalen Bedingungen, so braucht man nur wenig Tatsachen-Wissen für die Aufstellung der Theorie.« Nun weist aber die Mathematik als der exakteste Ausdruck der menschlichen Phantasie, und unbeschränkt in ihrer Fähigkeit zur Fiktion, zwei Aspekte auf: einen logisch-apriorischen und einen ästhetischen.[10] Der logisch-apriorische ermöglichte es ihr, das gewaltige Gedankengebäude zu errichten, an welchem sie immer noch weiterbaut, ihre Ästhetik befähigt sie, unberührt vom Empirischen zu operieren; die Schönheit der Mathematik liegt in ihrer Idealität.[11] Nicht umsonst hat Plato ihr das

Reich der Ideen zugeteilt, das Reich der Vorbilder, von denen die Körperwelt nur das Reich der Abbilder darstellt. Durch die Mathematik, die man an sich für widerspruchsfrei und also für ›wahr‹ hielt,[12] wurde vor allem die mystische Philosophie in Versuchung geführt, das ›Ding an sich‹ in Zahlen oder in geometrischen Formen zu sehen, die Mathematik mit der Metaphysik zu verwechseln. Ließe sich der Versuch Einsteins einer erschöpfenden Darstellung der physischen Realität auf der Grundlage des Kontinuums oder der entgegengesetzte Versuch, von den Elementarteilchen her zu einer umfassenden Formel zu gelangen, verwirklichen, würde die Physik zu einem Sonderfall der Mathematik, damit aber auch zu einer reinen Ästhetik; als solche hätte sie außerdem den Anspruch, als Metaphysik zu gelten: Der alte Traum hätte sich erfüllt, die Ästhetik und die Metaphysik, die Schönheit und die Wahrheit, seien eins. So ist denn auch Einsteins Festhalten an einem kontinuierlichen physikalischen Weltbild nicht nur ästhetisch, sondern auch metaphysisch mitbegründet; über das Bohrsche Atommodell urteilt er im Alter, es sei für ihn noch heute die höchste Musikalität auf dem Gebiete des Gedankens. Und ein Gott, der würfelt, hat für ihn in einer kontinuierlichen und deterministischen Welt nichts zu suchen. Er bedeutet das Chaos, das der Jude Einstein wie der Jude Spinoza ablehnen. Die Rebellion gegen das Chaos, einst verkörpert durch einen unberechenbaren, nur durch strenge Gesetzestreue zu besänftigenden Gott, ist eine eminent jüdische Rebellion. Aber Einstein schließt auch die Reihe der Denker ab, welche die Metaphysik wieder zu ermöglichen versuchten, nachdem Kant sie widerlegt hatte. Jaspers weist darauf hin, daß sich die Philosophen des deutschen Idealismus an Spinoza entzündet haben.[13] Für Hegel war der Spinozismus der wesentliche Anfang des Philosophierens. Von Einstein darf man vielleicht sagen, daß er, von Kant entzündet, sich zu Spinoza hin entwickelte. 1918, bei der offiziellen Feier zu Plancks 60. Geburtstag, führte er unter anderem aus: »Der Mensch sucht in irgendwie adäquater Weise ein vereinfachtes und übersichtliches Bild der Welt zu gestalten und so die Welt des Erlebens zu überwinden, indem er sie bis zu einem gewissen Grad durch dies Bild zu ersetzen strebt.

Dies tut der Maler, der Dichter, der spekulative Philosoph und der Naturforscher, jeder in seiner Weise ... Höchste Aufgabe des Physikers ist also das Aufsuchen jener allgemeinsten elementaren Gesetze, aus denen durch reine Deduktion das Weltbild zu gewinnen ist. Zu diesen elementaren Gesetzen führt kein logischer Weg, sondern nur die Einfühlung in die Erfahrung sich stützende Intuition ... Die Sehnsucht nach dem Schauen jener prästabilierten Harmonie ist die Quelle der unerschöpflichen Ausdauer und Geduld, mit der wir Planck den allgemeinen Problemen unserer Wissenschaft sich hingeben sehen ... Der Gefühlszustand, der zu solchen Leistungen befähigt, ist dem des Religiösen oder Verliebten ähnlich: das tägliche Streben entspricht keinem Vorsatz oder Programm, sondern einem unmittelbaren Bedürfnis ...«

Meine Damen und Herren, diese Worte Einsteins sind einfache Worte. Aber Einstein hat das Recht, einfache Worte zu gebrauchen. Auch seine berühmte Gleichung, Energie gleich Masse mal Lichtgeschwindigkeit im Quadrat, $E = mc^2$, ist einfach und in ihrer Einfachheit von bestechender Schönheit.

Doch welch ein Denken ist dahinter verborgen, nicht nur das Denken eines Einzelnen, mehr noch das Denken vieler Jahrhunderte, und darüber hinaus versinnbildlicht sie ein Denken, das mehr als jedes andere Denken die Welt veränderte, *kosmologisch*, indem es nicht, wie Einstein hoffte, zum Schauen der prästabilierten Harmonie führte, sondern zur Vision einer prästabilierten Explosion, zu einem monströsen auseinanderfegenden Weltall voller Supernovae, Gravitationskollapse, Schwarzer Löcher, zu einem Universum der Weltuntergänge, das sich von Jahr zu Jahr unheimlicher, ja tückischer zeigt, wie man versucht ist zu personifizieren; *ontologisch*, was die Existenz des Menschen auf unserem Planeten betrifft, indem dessen Welt, die Einstein als ›Begreiflichkeit‹ bewunderte, derart handfest begreifbar, hantierbar wurde, daß sich die Menschheit schließlich vor die Frage gestellt sah, ob sie sich der Vernunft unterwerfen oder ihren Untergang herbeiführen wolle. Daß dieses Weltbild, in das wir hineingezeichnet sind, gerade noch als lächerliches Gekritzel in irgendeiner Weltecke erkennbar, dieses ungeheuerliche Labyrinth, in welchem wir immer hilfloser und hoffnungsloser herumtappen, nicht zuletzt von einem Menschen stammt, der die Gabe besaß, einfach zu reden, gerade deshalb, weil er wie kaum ein anderer vor ihm ins Unanschauliche vorstieß, gehört zu der Paradoxie unserer Zeit. Um so ernsthafter haben wir darum Einstein zu nehmen, wenn er 1947 schreibt, er glaube, daß wir uns mit unserer unvollständigen Erkenntnis und Einsicht begnügen und moralische Werte und Pflichten als rein menschliche Probleme – die wichtigsten aller menschlichen Probleme – sehen müßten. Es gibt, muß beigefügt werden, keine Probleme, die nicht menschliche Probleme sind, auch die mathematischen und physikalischen sind solche.[14] So führt denn auch zu Einstein kein anderer Weg als der des Denkens.[15] Hier entscheidet sich sein und unser Schicksal. Er wird heute der klassischen Physik zugeordnet. Das immer wieder gescheiterte Experiment Michelsons gegen Ende des vorigen Jahrhunderts, das den Äther beweisen sollte, bewies, daß es keinen Äther gibt: Die Relativitätstheorie kommt denn auch ohne Äther aus. Vielleicht ist das Scheitern des Versuchs Einsteins, eine allgemeine Feldtheorie aufzustellen, für die Physik sein wichtigster Beitrag. Die heutige Physik arbeitet mit Mitteln und technischen Anlagen, die Einstein nie zur Verfügung standen. Die Entdeckungen in den gigantischen Synchrotronen jagen sich, immer kleinere Elementarteilchen werden von Computern aufgespürt – und bald auch von Computern interpretiert; man hofft, das endlich wirklich Unzusammengesetzte zu finden, das unteilbare Atom der Griechen, den physischen und metaphysischen Punkt in einem, von dem aus die Welt aufzubauen und gar umzubauen wäre. Scheitert dieses faustische Unternehmen, wäre dieses Scheitern jämmerlicher als das einsame Scheitern Einsteins. Denn sein Scheitern war grandios, er besaß nichts als seinen Schreibtisch.[16] Aber er bewies vielleicht als erster, wenn auch gegen seine Vision, daß es keine einheitliche Methode geben kann. Hermann Weyl, auch er einmal Professor der Eidgenössischen Technischen Hochschule, schrieb: »In der Doppelnatur des Wirklichen ist es begründet, daß wir ein theoretisches Bild des Seienden nur entwerfen können auf dem Hintergrund des Möglichen.« Das heißt wohl nichts anderes, als daß wir die Erscheinungen nie zu durchstoßen vermögen. Meine Damen und

Herren, ich danke für Ihre Aufmerksamkeit. Es ist möglich, daß Sie von mir einen etwas anderen Vortrag erwartet haben. Aber wer sich mit Einstein beschäftigt, muß sich ihm stellen, den Irrtum nicht fürchtend. Ihn zu belächeln, ist Ihr Recht, ihn zu begehen, das meine.

Anmerkungen

1, Seite 15: Nehmen wir an, daß die weißen oder die schwarzen Felder gute oder böse Taten bedeuten, so stellt der weiße Läufer etwa den Heiligen dar, er kann sich nur in der Diagonalen bewegen, nur in den weißen Feldern also, er vermag nur Gutes zu tun. Sein unheimlicher Gegenspieler ist der schwarze Läufer im weißen Feld, er tut nur Gutes, aber es nützt ihm nichts, er ist böse und bleibt böse. Der weiße Läufer im schwarzen Feld tut nur Böses und ist trotzdem weiß, seine Seele befleckt sich nicht, während der schwarze Läufer auf schwarzem Feld böse ist und nur Böses tut. Der König vermag sich nur beschränkt zu bewegen, er ist nicht aufgrund seiner Eigenschaften König, sondern zum König bestimmt, determiniert. Die Dame ist der Held, sie besitzt bewegungsmäßig die größten Möglichkeiten usw.

2, Seite 16: Ein Vortrag ist ein Wagnis. Er muß, im Gegensatz zum geschriebenen Wort, unmittelbar wirken. Die Unmittelbarkeit hat zur Folge, daß er um Verallgemeinerungen nicht herumkommt – der Grund, weshalb ich in meinen Vorträgen mit Vorliebe die Parabel wähle. So ist denn auch die Behauptung, das Judentum und die daraus hervorgegangenen Religionen (Christentum, Islam) seien kausale Religionen, als notwendige vortragsdramaturgische Verallgemeinerung zu verstehen. Determinismus und Kausalität sind philosophische, nicht religiöse Begriffe; daß sie in die Religionen hineinspielen, ist ein theologisches Problem, nicht ein religiöses. Theologisch weisen vor allem der Islam, aber auch das Christentum neben kausalen starke deterministische Züge auf: die islamische Orthodoxie lehnt die Naturgesetze ab. Allah läßt unmittelbar einen Stein zur Erde fallen; die Prädestinationslehre spielt nicht nur bei Augustin und Calvin eine Rolle, auch Karl Barth macht sie schwer zu schaffen. Stammt die Prädestination aus dem strapazierten Begriff der Allwissenheit, die Gott zugeschrieben wird, so bekommt dagegen mit der Installierung des Teufels als beinah zweite Gottheit das Christentum wieder eine zusätzliche kausale Komponente: Gott und Teufel sind nicht nur Schiedsrichter, sondern mehr der gute und der schlechte Kiebitz, die hinter jedem Spieler stehen. Es kommt darauf an, auf wessen Stimme dieser horcht; meistens horcht er auf die Stimme des Teufels; dieser ist denn auch in der christlichen Religion gleichsam, wenn auch kein vollkommener, so doch ein fast vollkommener Schachweltmeister, der nur im Schlußkampf besiegt wird, wenn es dem Schiedsrichter endgültig gefällt, selber seine vollkommene Kunst zu zeigen. Das scheint mittelalterlich; aber nicht nur die katholische Kirche hält immer noch an der Persönlichkeit des Teufels fest, auch Karl Barth sieht im Teufel »Gottes seiendes Nichtwollen«. Übrigens finden wir die

Vermischung von Determinismus und Kausalität noch anderswo, z. B. in der Ödipus-Sage: Durch das Schicksal, welches durch das Orakel spricht, ist Ödipus determiniert; indem er dem Orakelspruch zu entgehen versucht, handelt Ödipus kausal.

3, Seite 18: Die Theodizee Leibniz' ist der metaphysische Einfall eines großen Mathematikers. Wie für Spinoza ist auch für Leibniz Gott logisch notwendig, die Welt nur hypothetisch notwendig. Es sind unendlich andere Welten denkbar, weil im Gegensatz zu Gott die Welt endlich ist. Die Welt kann als endliche Welt nicht vollkommen sein, das kann nur Gott als etwas Unendliches. Die Welt ist nur als die beste aller denkbaren Welten möglich. Ähnliche Ideen erscheinen in der heutigen Kosmologie, als Kuriosität etwa: »Eines der grundlegenden Probleme der Kosmologie ist die Tatsache, daß das Universum isotrop ist, das heißt, seine Eigenschaften sind weitgehend richtungsunabhängig. Dies läßt sich aufgrund neuester Messungen mit großer Präzision nachweisen, obwohl die Theorie für alle Weltmodelle mit einer Existenzwahrscheinlichkeit größer als Null eine anisotrope Struktur voraussagt. Einen sehr interessanten Ansatz zur Lösung dieses Dilemmas machten kürzlich die Astrophysiker C. B. Collins und S. W. Hawking der Universität Cambridge. In einer Publikation in der Märznummer von ›The Astrophysical Journal‹ zeigen die Autoren, daß die Isotropie des Universums eine direkte Folge von dessen Expansionsgeschwindigkeit ist. Diese befindet sich genau im Bereich zwischen der

Geschwindigkeit, die eine unendliche Expansion bewirkt, und derjenigen, die einen gravitationsbedingten Kollaps zu einer Singularität herbeiführt. Nur bei der ›intermediären‹ Expansionsgeschwindigkeit können sich Galaxien bilden, so daß auch die Existenz von Sternen, Planeten und von Leben eine direkte Folge der Isotropie des Universums ist. Die geringe Existenzwahrscheinlichkeit eines solchen Systems läßt sich durch die Annahme aufheben, daß es nicht nur ein Weltall, sondern deren unendlich viele gibt.« (NZZ, Forschung und Technik, 24.9.73.) Ein amüsantes Beispiel, wie Gedanken immer wieder auftauchen.

4, Seite 19: Wenn Jaspers über Spinozas philosophische Herkunft schreibt: »Man kann für fast alle Gedanken Spinozas die Herkunft zeigen: von der Stoa kannte er die Grundhaltung des Gleichmuts aus Vernunft, von der Bibel den einen Gott, von der Scholastik Begriffe wie Substanz, Attribut, Modus, natura naturans und natura naturata, von Giordano Bruno die Unendlichkeit der Welt, von ihm und Leone Ebreo die Lehre vom Eros, von Bacon die empirischen Methoden und das Abwerfen von Vorurteilen, von Descartes die Unterscheidung von Ausdehnung und Denken und die Hochschätzung der Mathematik als Gewißheit, von Machiavelli und Hobbes das Staatsdenken«, so muß beigefügt werden, daß sein denkerischer Hauptantrieb die Überwindung des religiösen Judentums war, von dem er herkam: Spinoza ist ohne die dreitausendjährige Auseinandersetzung des jüdischen

Denkens mit der ›Fiktion Gott‹ nicht denkbar, nicht ohne den Talmud, die Kabbala, Maimonides (der ja auch lehrte, von Gott sei nichts auszumachen) usw. Es ist nicht nur wichtig, wovon man nimmt, noch wichtiger ist, wogegen man kämpft. Spinozas Denken ist im wesentlichen eine Rebellion gegen das Judentum und damit ein Resultat des jüdischen Denkens, wie das Denken Einsteins. (Das gleiche ließe sich vom Denken Marx' und Freuds sagen; es handelt sich um den gleichen sich vielfach verästelnden Denkstrom, um ein ›Denkdelta‹, um eine der fruchtbarsten Denklandschaften, die wir kennen.) Auch Einstein wehrte sich gegen das religiöse Judentum. Daß er sich erst durch den Antisemitismus als Jude zu fühlen begann und Zionist wurde, ja daß ihn Israel bat, das Amt eines Staatspräsidenten anzunehmen, gehört zu den von der Zeit ihm aufgezwungenen Widersprüchlichkeiten, zu denen ebenso sein berühmter Brief an Roosevelt gehört, der zum Bau der Atombombe führte, samt seiner Reaktion, als die Bombe dann zum Einsatz kam, sein »O weh« ist von einer unendlichen Hilflosigkeit. Einstein selber war ein überzeugter Pazifist. Daß er Schweizer Bürger wurde, um dem deutschen Wehrdienst zu entgehen, und dieses Bürgerrecht auch später nicht aufgab, entbehrt nicht der Ironie: gibt es doch für die heutige Schweiz nichts Suspekteres als die Pazifisten (und für viele die Zionisten).

5, Seite 24: Spinoza übernahm die zwei Attribute Gottes, Denken und Ausdehnung, von Descartes, bei dem sie die beiden von Gott geschaffenen Substanzen sind. Die Zeit kommt bei Spinoza nur den Modi der Attribute zu, den Einzeldingen, die, weil sie endlich sind, der Zeit unterliegen, zeitlich sind, während die Substanz zeitlos, ewig ist. Substanz, Attribut, Modus, Spinozas Denken ist grammatikalisch, es geht grammatikalisch, aber nicht logisch auf. Der Gedanke liegt nahe, seine Methode nicht eine geometrische, sondern eine grammatikalische zu nennen, wobei sich die Frage stellt, ob der Gegensatz zwischen euklidischer und nicht-euklidischer Geometrie nicht auf irgendeine Weise analog zu beschreiben wäre; eine schriftstellerische Frage, gewiß, die ich mir gestatte, weil ich, in mein Metier verstrickt, allzuoft an der Gültigkeit der Grammatik zweifle, allzuoft zeigt sie mir ihre Ohnmacht, allzuoft ihre Tyrannei: Sie will mir aufzwingen, was sie denkt, statt mich schreiben zu lassen, was ich denke.

6, Seite 25: Kants Auffassung der Mathematik, »die philosophische Erkenntnis ist die Vernunftserkenntnis aus Begriffen, die mathematische aus der Konstruktion der Begriffe«, hätte eine nicht-euklidische Geometrie durchaus zugelassen. Hätte er sie gekannt, hätte er möglicherweise den Begriff der menschlichen Anschauung erweitert; zu dieser gehört nämlich durchaus auch die mathematische abstrakte Anschauung, die mathematische Phantasie, die der Mathematik erlaubt, die sinnliche Anschauung zu durchstoßen.

7, Seite 28: Einsteins erkenntnistheoretisches Credo

schließt: »Eine Bemerkung zur geschichtlichen Entwicklung. Hume erkannte klar, daß gewisse Begriffe, z. B. der der Kausalität, durch logische Methoden nicht aus dem Erfahrungsmaterial abgeleitet werden können. Kant, von der Unentbehrlichkeit gewisser Begriffe durchdrungen, hielt sie – so wie sie gewählt sind – für nötige Prämissen jeglichen Denkens und unterschied sie von Begriffen empirischen Ursprungs. Ich bin aber davon überzeugt, daß diese Unterscheidung irrtümlich ist, bzw. dem Problem nicht in natürlicher Weise gerecht wird. Alle Begriffe, auch die erlebnis-nächsten, sind vom logischen Gesichtspunkte aus freie Setzungen, genau wie der Begriff der Kausalität, an den sich in erster Linie die Fragestellung angeschlossen hat.« Interessant auch hier sein Hinweis auf Kant. Dieser wollte Newtons Physik philosophisch sicherstellen. Daß alle Veränderungen nach dem Gesetz der Verknüpfung von Ursache und Wirkung geschehen, gilt sowohl für Kant innerhalb der Erfahrung als auch für Newtons ›Schwerkraft‹. Indem diese von Einstein durch die Geometrie des Raumes ersetzt wird, wird sie nicht mehr kausal, sondern deterministisch: sie folgert sich aus den Eigenschaften des Raum-Zeit-Kontinuums. Da aber die ›Krümmung‹ dieses Raum-Zeit-Kontinuums durch das Vorhandensein der Materie verursacht wird, wird die Materie zur Ursache des Raums, für die es keine Ursache mehr gibt, zur causa sui, analog der causa sui, womit Spinoza seinen Gott meint. Die heutige Theorie eines Big Bang, eines Urknalls, der den Anfang von Zeit und Raum bedeutet, setzt die Welt sowohl kausal als auch deterministisch, das heißt, der Unterschied zwischen Kausalität und Determinismus ist ein nur im Bereich der Logik stattfindendes Scheingefecht, eine grammatikalische Angelegenheit, geeignet für alle Glaubenskämpfe und Vorträge.

8, Seite 35: Denkt man sich eine Schachpartie der Schachfiguren aus, fällt mit dem Spielplan, von dem sie nichts wissen können, auch die ›zeitliche Ordnung‹ der Partie zusammen. Alle Figuren spielen gleichzeitig, das heißt, sobald sie eine Möglichkeit sehen, sich zu bewegen.

9, Seite 37: Wenn Einstein in seinem Vortrag *Geometrie und Erfahrung* sagt, »insofern sich die Lehrsätze der Mathematik auf die Wirklichkeit beziehen, sind sie nicht sicher, und insofern sie sicher sind, beziehen sie sich nicht auf die Wirklichkeit«, und wenn Rudolf Carnap in seiner *Philosophie der Naturwissenschaft* daraus schließt, es gebe zwei Geometrien, eine mathematische und eine physikalische, will mir diese Ansicht partout nicht einleuchten; es scheint mir nur eine Geometrie zu geben, die nicht-euklidische, von der die euklidische ein Sonderfall ist. Welche geometrischen Gesetze auf die Wirklichkeit anzuwenden sind, ist eine andere Frage, darüber entscheidet die Erfahrung, ohne daß sie an der Geometrie etwas ändert. Auch die Wirklichkeit scheint mir recht zu geben; über meinen Besuch im CERN: »Wir geraten in eine Halle voller Computer, die errechneten Resultate werden irgendwann an irgendeinen der Physiker oder, genauer, an irgendeinen der Spezialisten unter den Kernphysikern weitergeleitet oder an irgendeinen Spezialisten auf irgendeiner Universität geschickt oder, noch genauer, an das Team, dem er vorsteht, denn jeder Spezialist steht heute irgendeinem Team von Spezialisten vor (es kann heute einer noch so sehr Spezialist sein, es gibt in seinem Spezialgebiet immer noch Spezialgebiete, die immer noch Spezialisten hervorbringen, usw.), mit einem Mathematiker im hintersten Hintergrund des Teams, der die Arbeit all dieser Spezialisten auf ihre mathematische Stubenreinheit hin überprüft, als eine Art wissenschaftlicher Jesuitenpater, hat doch jede physikalische Aussage auch mathematisch zu stimmen, wie früher jede theologische dogmatisch in Ordnung sein mußte und heute wieder jede ideologische linientreu zu sein hat.« (*Der Mitmacher, ein Komplex*, Arche-Verlag, Zürich 1976, Seite 97).

10, Seite 38: Hermann Weyl: »Vielleicht ist ›Mathematisieren‹, wie Musizieren, eine schöpferische Tätigkeit des Menschen, deren Produkte nicht nur formal, sondern auch inhaltlich durch die Entscheidungen der Geschichte bedingt sind und daher vollständiger objektiver Erfassung trotzen.« Ich würde ›vielleicht‹ durch ein ›vor allem‹ ersetzen. Auch glaube ich, daß aus der Mathematik keine andere Philosophie als erkenntnistheoretische Hinweise zu ziehen ist, diese jedoch sind von größter Wichtigkeit. Nicht minder wichtig sind die Auseinandersetzungen innerhalb der Mathematik. Wie auf einer

Bühne spielen sich hier verschärft jene Kämpfe ab, die sich in der menschlichen Wirklichkeit weit verwaschener, dafür aber blutig, als Glaubens- und ideologische Kriege ausgeben; verwaschener, weil es sich um Ausreden handelt: dem Menschen, den man in den Tod schickt, schwatzt man ein, er kämpfe um eine Idee usw.

11, Seite 39: Wenn Poincaré in seinem Einwand gegen Einstein meinte, wenn man empirische Hinweise auf einen nicht-euklidischen Raum finde, so könne die euklidische Geometrie beibehalten werden, vorausgesetzt man sei bereit, komplizierte Änderungen der Naturgesetze für starre Körper und Lichtquellen hinzunehmen, die Theorien Newtons und Einsteins seien im Grunde nur zwei verschiedene Beschreibungen ein und derselben Tatsache, der Unterschied sei nur formaler, das heißt ästhetischer Natur, indem die Einsteinschen Formeln nur eleganter seien als die umgeänderten Newton-Formeln –, so kommt mir dieser Einwand unberechtigt vor. Newtons Mechanik ist nicht ein Sonderfall der relativistischen Mechanik, Einstein führt Newton nicht weiter, sondern löst ihn ab. Auch die Hymnen auf die Schönheit der Einsteinschen Formeln und Gedanken, die sich in Einsteins Biographie von B. Hoffmann vorfinden, führen am Problem vorbei. Einstein scheiterte nicht an der Ästhetik, sondern an seiner Ästhetik.

12, Seite 39: Daß nicht nur die axiomatische Auffassung der Mathematik, wie Gödel bewies, sondern auch ihre inhaltliche Auffassung zu Antinomien führt, zeigt Alexander Wittenbergs Dissertation ›Vom Denken in Begriffen‹. Alexander Wittenberg war Student an der E.T.H. und oft auch Beleuchter im Schauspielhaus Zürich. Er starb als Professor für Mathematik an der Laval-Universität Quebec.

13, Seite 40: Jaspers: »Die Philosophie des deutschen Idealismus hat sich, entzündet von Spinoza, gegen ihn entwickelt.«

14, Seite 43: Zu den wichtigsten Problemen führen oft die scheinbar unwichtigsten; sie sind die Samenkörner. Es gibt keine unverbindlichen Probleme. Es gibt nichts Jämmerlicheres als jene, die das Denken des Menschen in ein verbindliches und in ein unverbindliches Denken einteilen. Unter ihnen verbergen sich unsere zukünftigen Henker.

15, Seite 43: Der Mythos, die Relativitätstheorie werde auf der Welt nur von fünf Personen verstanden, machte Einstein weitaus populärer als das Schlagwort »alles ist relativ«, womit im Namen Einsteins jedermann focht. Das Geheimnis fasziniert, nicht die Platitüde. Der Mythos Einstein machte den Denker Einstein zu einem Übermenschen, dem ein übermenschliches Denken zugeschrieben wurde, an welches das gewöhnliche menschliche Denken nicht heranreicht. Der Mythos, Einstein sei nur von Genies zu verstehen, sah in Einstein den Begründer einer Wissenschaft hinter der Wissenschaft, siedelte ihn gleichsam außerhalb der menschlichen Vernunft an, nicht zuletzt auch deshalb, weil mit der vierten Dimension, die er angeblich entdeckt hatte, dem Irrationalen, dem der Mensch so gerne nachgibt, eine neue Schleuse geöffnet wurde. Und das Irrationale brach denn auch herein. Doch habe ich mich mit dem zu befassen, was Einstein bei jenen bewirkte, die ihn begriffen, nicht mit dem, was er bei jenen auslöste, die auf seinen Mythos hereinfielen. Auch der Halt, den die abstrakte Kunst bei ihm zu finden sucht, scheint mir auf einem Mißverständnis zu beruhen. Deshalb, weil der Abstraktionsfähigkeit und der schlackenlosen Ästhetik der Mathematik – außer der Musik, die sich ihr zu nähern vermag – keine Kunst gewachsen ist, führt zu Einstein kein anderer Weg als der des Denkens. Es gibt keinen ›populären‹ Einstein, die Legende Einstein löst sich ins Nichts auf.

16, Seite 44: Einstein war vielleicht einer der letzten großen Einzelgänger der Physik. Als amüsante Kritik meines Vortrags möchte ich einen Brief wiedergeben, den ich nach meinem Vortrag im Auditorium Maximum der E. T. H. am 24. 2. 79 erhalten habe. Ich nehme diese Kritik durchaus ernst. Das einzige, was ich dem Briefschreiber vorwerfe, ist die schlampige Art, wie er beleuchtete: Selten waren die Scheinwerfer für den Vorlesenden penibler eingestellt; eine technische Art, Zensur zu üben; eine Vorahnung der Gehirnwäsche. Doch da er vor lauter Beleuchtungsschlamperei nicht zuhören konnte, sei ihm versichert, daß ich, was das sachliche Bild der heutigen Physik betrifft, mit ihm einig bin. Der

Grund, weshalb ich diesen Brief wiedergebe, liegt nicht darin, den Schreibenden von der Physik, sondern von der Beleuchtung abzuhalten; sie spielt im Theater eine Rolle, da muß ich rein beruflich vor solchen Stümpern protestieren, wie er, was die Beleuchtung angeht, einer ist; ein schlechter Beleuchter ist schlimmer als ein mittelmäßiger Physiker. »Sehr geehrter Herr Dürrenmatt, ich muß gestehen, daß ich von Ihrem Vortrag anläßlich der Einstein-Tagung vom 24. Februar arg enttäuscht bin. Von einem Physiker eine Problematisierung des Zusammenhanges zwischen Naturwissenschaft und Technik, zwischen der Beherrschung technischer Prozesse und wirtschaftlich-politischer Macht zu erwarten, habe ich längst aufgegeben. Von Ihnen hatte ich mehr Einsicht und Sensibilität erhofft, und an der Person Einsteins hätte sich diese horrende (?) Problematik weiß Gott entwickeln lassen. Statt dessen kultivieren Sie die antiquierte Ideologie des Wissenschaftlers als Einzelkämpfer gegen oder mit Gott. In Wirklichkeit ist die Arbeitsteilung und Spezialisierung in keiner Geistestätigkeit so weit fortgeschritten wie in den exakten Naturwissenschaften und in der Mathematik (zwar wird in den anderen Wissenschaften eifrig versucht, diesen Rückstand wettzumachen); und beinahe die Hälfte aller Physiker und Ingenieure arbeiten in den USA für das Militär (John Powling, *Physics to-day*, Dezember 1978, Seite 10). Weltweit gesehen, wird das Verhältnis kaum ermutigender ausfallen. Ich war an jenem Samstagmorgen für die Beleuchtung des Saales zuständig. So konnte ich durch ein plötzliches Aussteigenlassen der Helligkeit wenigstens verhindern, daß sich Ihr Applaus ungehörlich in die Länge zog. $E = mc^2$!«

Zu danken ist vor allem meinem Freund Marc Eichelberg, Professor für Mathematik und Philosophie am Bündner Lehrerseminar in Chur. Er hatte die Freundlichkeit, nach Neuenburg zu kommen, auf meinen Vortrag einzugehen und mit mir die zweimonatige Arbeit durchzudiskutieren.

Im weiteren schulde ich Dank Herrn Professor Res Jost von der E.T.H. Zürich. In einem nächtlichen Telefongespräch gab er mir eine Übersicht über Einsteins physikalische Leistung, die mir unvergeßlich bleibt.

Quellennachweis

B. Spinoza	B. DE SPINOZA'S SÄMMTLICHE WERKE
	übersetzt von Berthold Auerbach
	Cotta Verlag, Stuttgart 1871

Immanuel Kant — PROLEGOMENA ZU EINER JEDEN KÜNFTIGEN METAPHYSIK
hrsg. von Karl Vorländer
Phil. Bibl. Felix Meiner Verlag, Hamburg 1976

Albert Einstein / Sigmund Freud — WARUM KRIEG?
Mit einem Essay von Isaac Asimov
Diogenes Taschenbuch 28
Diogenes Verlag AG, Zürich 1972

Albert Einstein / Leopold Infeld — DIE EVOLUTION DER PHYSIK
›rowohlts deutsche enzyklopädie‹
Rowohlt Verlag, Hamburg 1956

Wolfgang Büchel — PHILOSOPHISCHE PROBLEME DER PHYSIK
Herder Verlag, Freiburg, Basel, Wien 1965

Rudolf Carnap — EINFÜHRUNG IN DIE PHILOSOPHIE DER NATURWISSENSCHAFT
Nymphenburger Verlagshandlung, München 1961

Egmont Colerus — VOM PUNKT ZUR VIERTEN DIMENSION
P. Zsolnay Verlag, Wien 1935

Will und Ariel Durant — DAS ZEITALTER LUDWIGS XIV.
4. Buch: Vom Aberglauben zur Forschung
Francke Verlag, Bern und München 1966

Martin Gardner — RELATIVITÄTSTHEORIE FÜR ALLE
Orell Füssli Verlag, Zürich 1966

Banesh Hoffmann / Helen Dukas — ALBERT EINSTEIN, SCHÖPFER UND REBELL, DIE BIOGRAPHIE
Fischer Taschenbuch Verlag,
Frankfurt a. M. 1978

Karl Jaspers — AUS DEM URSPRUNG DENKENDE METAPHYSIKER
R. Piper & Co. Verlag, München 1957

Stephan Körner — PHILOSOPHIE DER MATHEMATIK
Eine Einführung
Nymphenburger Verlagshandlung,
München 1968

Arthur March — DAS NEUE DENKEN DER MODERNEN PHYSIK
›rowohlts deutsche enzyklopädie‹
Rowohlt Verlag, Hamburg 1957

J. Robert Oppenheimer — WISSENSCHAFT UND ALLGEMEINES DENKEN
›rowohlts deutsche enzyklopädie‹
Rowohlt Verlag, Hamburg 1955

Heinrich Tietze — MATHEMATISCHE PROBLEME
C. H. Beck'sche Verlagsbuchhandlung,
München 1967

Hermann Weyl — PHILOSOPHIE DER MATHEMATIK UND NATURWISSENSCHAFT
3. erw. Auflage
R. Oldenburg, München – Wien 1966

Hermann Emde — DIE HAUPTPUNKTE DER ENDSPIELTHEORIE
Verlag Zollikofer & Co., St. Gallen 1945

Erwin Voellmy — WIE ERÖFFNEST DU DIE SCHACHPARTIE
Verlag von Heinrich Majer, Basel 1943

Friedrich Dürrenmatt
im Diogenes Verlag

Der Richter und sein Henker
Der Verdacht
Die zwei Kriminalromane um Kommissär Bärlach
in einem Band. detebe 171

Albert Einstein
im Diogenes Verlag

Warum Krieg?
Ein Briefwechsel zwischen Albert Einstein und
Sigmund Freud. Mit einem Vorwort von Albert Einstein und einem
Essay von Isaac Asimov. detebe 28

Essays · Theorie · Philosophie
Politik · Polemik · Historie

Moderne Klassiker
der deutschen Literatur
im Diogenes Verlag

Klassiker der deutschen Literatur
im Diogenes Verlag

ULRICH BRÄKER

Leben und Schriften des Armen Mannes im Tockenburg. Herausgegeben von Samuel Voellmy und Heinz Weder
Lebensgeschichte und Natürliche Ebentheuer des Armen Mannes im Tockenburg. Vorwort von Hans Mayer. detebe 195/1
Tagebücher / Wanderberichte / Bräker und Lavater / Gespräch im Reiche der Toten / Etwas über Shakespeares Schauspiele. Vorwort von Heinz Weder. detebe 195/2

WILHELM BUSCH

Schöne Studienausgabe in sieben Bänden. Herausgegeben von Friedrich Bohne, in Zusammenarbeit mit dem Wilhelm-Busch-Museum, Hannover. Alle Bildergeschichten sind nach Originalvorlagen, nach Andrucken von den Originalhölzern oder nach ausgesuchten Erst- und Frühdrucken reproduziert. Alle Texte sind nach Handschriften, Verlagsabschriften und Erstausgaben neu durchgesehen und mit einem kritischen und erklärenden Anhang versehen.
Gedichte. detebe 60/1
Max und Moritz. Vierfarbendruck. detebe 60/2
Die fromme Helene. detebe 60/3
Tobias Knopp. detebe 60/4
Hans Huckebein / Fipps der Affe / Plisch und Plum. detebe 60/5
Balduin Bählamm / Maler Klecksel. detebe 60/6
Prosa. Mit einem Nachwort des Herausgebers zu dieser Ausgabe, Chronik und Bibliographie. detebe 60/7

JEREMIAS GOTTHELF

Ausgewählte Werke in zwölf Bänden in der Edition von Walter Muschg
Uli der Knecht. Roman. detebe 170/1
Uli der Pächter. Roman. detebe 170/2
Anne Bäbi Jowäger I. Roman. detebe 170/3
Anne Bäbi Jowäger II. Roman. detebe 170/4
Geld und Geist. Roman. detebe 170/5
Der Geltstag. Roman. detebe 170/6
Käthi die Großmutter. Roman. detebe 170/7

Die Käserei in der Vehfreude. Roman. detebe 170/8
Die Wassernot im Emmental / Wie Joggeli eine Frau sucht. Ausgewählte Erzählungen I. detebe 170/9
Die schwarze Spinne / Elsi, die seltsame Magd / Kurt von Koppigen. Ausgewählte Erzählungen II. detebe 170/10
Michels Brautschau / Niggi Ju / Das Erdbeerimareili. Ausgewählte Erzählungen III. detebe 170/11
Der Besenbinder von Rychiswyl / Barthli der Korber / Die Frau Pfarrerin / Selbstbiographie. Ausgewählte Erzählungen IV. detebe 170/12
Als Ergänzungsband:
Gottfried Keller über Jeremias Gotthelf. Mit einem Nachwort von Heinz Weder. Chronik und Bibliographie. detebe 169

HEINRICH HEINE

Gedichte. Ausgewählt und eingeleitet von Ludwig Marcuse. detebe 139

GOTTFRIED KELLER

Zürcher Ausgabe. Gesammelte Werke in der Edition von Gustav Steiner in acht Einzelbänden.
Der grüne Heinrich in zwei Bänden. detebe 160/1–2
Die Leute von Seldwyla in zwei Bänden, wobei der zweite auch die *Zwei Kalendergeschichten* enthält. detebe 160/3–4
Zürcher Novellen und *Aufsätze.* detebe 160/5
Das Sinngedicht und *Sieben Legenden.* detebe 160/6
Martin Salander und *Ein Bettagsmandat, Therese* und *Autobiographische Schriften.* detebe 160/7
Gedichte und *Der Apotheker von Chamounix.* detebe 160/8
Als Ergänzungsband:
Über Gottfried Keller. Sein Leben in Selbstzeugnissen und Zeugnissen von Zeitgenossen. Herausgegeben von Paul Rilla. Mit Chronik und Bibliographie. detebe 167

ARTHUR SCHOPENHAUER

Zürcher Ausgabe. Vollständige Neuedition,
die als Volks- und Studienausgabe angelegt
ist: Jeder Band bringt nach dem letzten
Stand der Forschung den integralen Text in
der originalen Orthographie und Inter-
punktion Schopenhauers; Übersetzungen
fremdsprachiger Zitate und seltener Fremd-
wörter sind in eckigen Klammern eingearbei-
tet; ein Glossar wissenschaftlicher Fach-
ausdrücke ist als Anhang jeweils dem letzten
Band der *Welt als Wille und Vorstellung*
(detebe 140/4), der *Kleineren Schriften*
(detebe 140/6) und der *Parerga und Paralipomena* (detebe 140/10) beigegeben. Die Text-
fassung geht auf die historisch-kritische
Gesamtausgabe von Arthur Hübscher
zurück; die editorischen Materialien besorgte
Angelika Hübscher.
Die Welt als Wille und Vorstellung I in zwei
Teilbänden. detebe 140/1–2
Die Welt als Wille und Vorstellung II in zwei
Teilbänden. detebe 140/3–4

*Über die vierfache Wurzel des Satzes vom
zureichenden Grunde / Über den Willen in
der Natur*. Kleinere Schriften I. detebe 140/5
*Die beiden Grundprobleme der Ethik: Über
die Freiheit des menschlichen Willens / Über
die Grundlage der Moral*. Kleinere Schriften II. detebe 140/6
Parerga und Paralipomena I in zwei
Teilbänden, von denen der zweite die
»Aphorismen zur Lebensweisheit« enthält.
detebe 140/7–8
Parerga und Paralipomena II in zwei Teilbänden, von denen der letzte ein Namen-
register zur Zürcher Ausgabe enthält.
detebe 140/9–10
Als Ergänzungsband:
Über Arthur Schopenhauer. Essays von
Friedrich Nietzsche, Thomas Mann, Ludwig
Marcuse, Max Horkheimer, Arthur Hübscher
und Jean Améry; Zeugnisse von Jean Paul
bis Arno Schmidt; Chronik und Bibliographie. Herausgegeben von Gerd Haffmans.
detebe 153

Diogenes Taschenbücher
Numerisches Verzeichnis

detebe-Kassetten

Titel mit * sind Erstausgaben oder deutsche Erstausgaben.
Titel mit o sind auch als Studienausgaben empfohlen.

Diogenes Kinder Taschenbücher

mini-detebes

kinder-mini-detebes